D0581910

Jan zegt nooit wat

Klipper is een serie boeken met een lager AVI-niveau dan voor de leeftijdsgroep gebruikelijk is. De boeken zijn verdeeld in drie categorieën.
De *Klipper*-boeken zijn ook op cd verkrijgbaar.
Klipper Plus bevat begeleidend materiaal per boek.

ISBN 90 392 5470 2
NUGI 140/220

Omslagontwerp: Robert Vulkers
Omslag en overige illustraties: Magda van Tilburg
AVI 4
Brus 30-40

Jan zegt nooit wat

Willy Schuyesmans

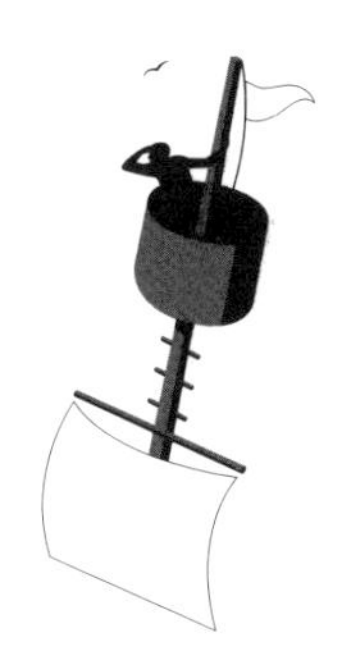

Dit boek gaat over:

1. Een ballon zonder koordje

Het is acht uur. Ik ga naar school. Naast mij loopt Els. Ze is net zo oud als ik. We zijn op dezelfde dag geboren. En we zitten in dezelfde klas. Dat is fijn. We zijn samen jarig. Nog vijf dagen. Dan is het zo ver. Dan hebben we een feestje bij mij thuis.
Els brengt de limonade mee. Mama zorgt voor taart. Een taart met tien kaarsjes. Die eten we dan met z'n allen op. Ik ben er nu al blij om. Al onze vrienden komen dan: Dieter, Bart, Joske en Inge. Nog vijf dagen. Ik droom er al van.
Els en ik lopen samen langs het pad.
'Kijk, daar is Jan', zegt Els.
Jan zit ook in onze klas. Hij is dik. Als je dik bent, kun je niet rennen. Als je niet kunt rennen, kun je niet samen spelen. Dat is toch zo? Els vindt dat ook. Op de speelplaats rennen wij altijd achter elkaar aan.
Jan rent nooit. Hij kan niet rennen. Dus staat hij aan de kant. Hij kijkt naar ons. Hij zegt niets.
Jan zegt nooit wat. Ik heb zijn stem nog nooit gehoord. Als de juf hem iets vraagt, kijkt hij alleen maar. Hij zegt niets. Ik denk dat hij geen stem heeft. Of hij is te dik om te praten.

Zijn stem zit vast zo diep in zijn lijf dat je niets hoort.
Jan loopt een eind voor ons uit. Hij loopt langzaam.
Zijn dikke lijf gaat heen en weer als hij loopt.
Ik stoot Els aan.
‘Kom, we geven hem een trap’, zeg ik. Els lacht.
We rennen naar hem toe. Els zwaait met haar boekentas. Ze slaat Jan ermee. Ik schop tegen zijn been. We lachen ons krom en lopen hem voorbij.

Jan zegt niets. Zelfs nu niet. Ik draai me om en kijk naar hem. Hij kijkt naar mij. Zijn dikke kin gaat zachtjes heen en weer. Maar hij zegt niets.
Zijn ogen zijn klein. Zijn dikke kop is net een ballon. Maar dan een ballon zonder koordje.
'Kijk, zijn kop is een ballon zonder koordje', zeg ik.
Els komt niet meer bij van het lachen.
We rennen naar de school. Bij de schoolpoort draai ik me om. Ver achter ons loopt Jan. Hij waggelt langzaam naar school. Hij zegt niets. Hij zegt nooit wat.

2. Els lacht me uit

Bart kent zijn les niet. De juf roept hem voor het bord. Bart is bang. Hij is niet bang voor de juf. Hij is bang voor zijn vader. Die slaat hem als hij geen zeven of acht haalt. Bart wil geen slechte cijfers. Maar hij leert nooit zijn les. Hij voetbalt liever. Of hij pest Jan. Dat doen wij allemaal het liefst.
Nu staat Bart voor het bord. De juf vraagt hem een som. Bart kijkt naar zijn schoenen. Hij weet het niet. Hij zegt niets meer. Hij lijkt Jan wel.

‘Zo, je zegt niets’, zegt de juf.
‘Je bent net als Jan. Die zegt ook nooit wat’, roept iemand.
De juf kijkt boos.
Bart kijkt ook boos. Hij is niet zoals Jan. Jan is dik. Jan kan niet voetballen. Je kunt je niet voorstellen dat Jan zou voetballen!
Niemand lacht Bart uit. We zouden wel willen, maar we durven niet. We zijn bang dat de juf ons voor het bord roept. En we zijn bang voor Bart. Die vecht als de beste. Hij slaat er maar op los. Dat heeft hij van zijn vader. Die slaat er ook op los.
‘Ga maar weer naar je plaats’, zegt de juf. ‘Je kent er niets van. Je hebt je les weer niet geleerd.’
Het is heel stil in de klas. Niemand komt graag voor het bord. Ik duik weg achter de rug van Els. Zat ik nu maar achter Jan, denk ik. Dan kon de juf mij niet zien. Zo dik is Jan. Maar Jan zit op de laatste bank.
Voor mij zit Els. En Els is mager.
‘Kom jij maar naar het bord’, zegt de juf tegen mij. ‘Je hoeft je niet zo weg te stoppen.’
Ik zucht. Langzaam sta ik op en loop naar het bord.
‘Zo’, zegt de juf. ‘Heb jij je les geleerd?’
Ik haal mijn schouders op.
‘Een beetje’, zeg ik.
‘Een beetje?’

Ik knik. Ik kijk naar Els. Die lacht achter haar hand. Wacht maar, denk ik. Ik word boos op Els. Els hoort mij niet uit te lachen.
De juf schrijft vijf getallen op het bord: 96, 114, 136, 88 en 108.
'Welk getal is niet deelbaar door vier?' vraagt ze.
Ik kijk naar de getallen, maar ik weet het niet.
Ik probeer.
'136.'
'Waarom 136?' vraagt de juf verbaasd.
Ik haal mijn schouders op.
'Omdat... omdat het het grootste getal is', zeg ik.
Ik voel meteen dat ik rood word.
Iedereen lacht. Ook Els lacht. Ze lacht het hardst van allemaal. Dat vind ik niet leuk.
Alleen Jan lacht niet. Ik geloof niet dat ik Jan ooit heb zien lachen.

3. Ons liefste spel

Speeltijd. Heel even geen les. Ik adem diep in. Waar is Els toch? Ik kijk rond, maar ik kan haar niet vinden.
'Kom, we gaan Jan pesten', roept Dieter.
'Ja, ik kom zo', zeg ik.
Maar ik kom niet. Ik zoek Els. Ik ben boos op haar. Ze heeft mij uitgelachen in de klas. Dat hoeft ze niet te doen. Ik wil het haar nu meteen zeggen. Maar ze is er niet.
'Kom je nu?'
Dieter roept alweer. Bart is nu bij hem. Ze kunnen niet langer meer wachten. Els zie ik straks wel.
Ik loop naar de jongens.
We spelen ons liefste spel: Jantje pesten.
'Jan, Jan, dikke Jan, die niet bij zijn voeten kan!'
We zingen het elke dag weer. Dieter, Bart, Inge, Joske en ik. En Els. Die is er ook altijd bij.
Alleen vandaag niet. Waar zou ze toch zijn?
We gaan om Jan heen staan en we zingen.
We lachen hem in zijn gezicht uit.
De andere kinderen van de klas doen mee.
Ze doen altijd mee. Je hoeft alleen maar te beginnen. Dan doen ze vanzelf mee.

Jan leunt tegen de muur. Hij zegt niets. Hij zegt nooit wat. Maar je ziet aan zijn ogen dat hij bang is. Dat is het mooie: je ziet dat hij bang is.
Zolang we alleen maar zingen, gaat het nog.
Jan sluit zijn ogen en luistert niet. Maar dat is niet genoeg voor Bart. Hij schopt tegen de enkel van Jan. Jan schrikt en kijkt hem aan. Hij wil Bart wegduwen. Maar als hij zijn zware arm opheft, port Inge hem tussen zijn ribben.

Jan krimpt in elkaar. En wij? We lachen.
De juf wandelt over de speelplaats. Als ze in de gaten krijgt dat we Jan pesten, komt ze naar ons toe. De hele bende stuift uit elkaar. Alleen wij blijven staan. We zingen niet meer. We duwen of porren niet meer. We praten met Jan. We praten niet echt. We doen alsof.
'Zijn jullie Jan weer aan het plagen?' vraagt de juf.
'Nee, juffrouw!'
'Natuurlijk niet, juffrouw!'
De juf duwt ons zachtjes uit elkaar.
'Vooruit, ga spelen!' zegt ze.
Ze blijft nog even bij Jan staan en praat tegen hem.
Maar Jan zegt niets. Hij zegt nooit wat.
Als de bel gaat, is Els er plots weer.
'Waar kom jij vandaan?' vraag ik boos.
'Ik moest plassen. Waarom?'
'Zo lang?'
Els haalt haar schouders op en gaat in de rij staan.
Ik ga vlak achter haar staan. Ik ben nu echt boos.
'Je hebt mij uitgelachen in de klas', zeg ik.
Els draait zich verbaasd om.
'Wat heb jij?' vraagt ze. 'Doe niet zo flauw!'
Ik wil nog wat zeggen, maar ik weet niet wat.
De rij loopt de klas in.

4. Het touw

'Heb je het touw?' vraagt Dieter.
Bart knikt. Hij maakt zijn schooltas open en laat een eindje van het touw zien.
'Vanavond?' vraagt Joske.
'Meteen na schooltijd', zegt Bart.
'Goed', zeg ik.
'Komen jullie ook?' vraagt Dieter aan Inge en Els.
'Als ik nog mag van hem daar', zegt Els.
Ze wijst met haar hoofd naar mij.
Ik voel mijn wangen warm worden. Ik word weer helemaal rood. Ik haal mijn schouders op.
'Ruzie?' lacht Dieter.
'Nee', zeg ik gauw. 'Geen ruzie.'
Els lacht.
'Goed dan. Meteen na schooltijd.'
'Ik kom ook', zegt Inge.

5. Wat een plof

We liggen alle zes in de droge gracht. Dieter heeft het touw vastgebonden aan een boom aan de overkant van het pad. Het andere eind van het touw ligt bij ons in de gracht. Ik heb wat zand over het touw gestrooid. Je kunt het haast niet zien liggen.
Het is heel snel gegaan. Toen de bel ging, zijn we meteen hier naartoe gerend. Jan komt er zo aan. We liggen plat op onze buik. Vanaf het pad kan niemand ons zien.
Alleen Inge zit rechtop. Ze kijkt of Jan eraan komt. Het duurt lang voordat Jan komt. We lachen een beetje. Bart zegt dat we stil moeten zijn.
'Daar is hij', zegt Inge. Ze duikt in de gracht.
'Hier', zegt Bart tegen Els. 'Neem het eind van het touw. Als ik het zeg, trek je zo hard als je kunt.'
Maar Els schudt haar hoofd.
'Vraag het maar aan hem', zegt ze. Ze wijst naar mij.
Ik neem het touw met beide handen vast.
We horen de stappen van Jan. Ze klinken zacht in het zand. Maar toch horen we ze. Zo stil zijn we. Jan komt steeds dichterbij.

Door de takken heen kunnen wij hem zien.
Nu is Jan vlak bij het touw.
'Nu!' roept Dieter.
Ik trek uit alle macht. Het touw schiet omhoog.
Jan schrikt. Hij struikelt. Zijn dikke lijf valt met een plof in het zand.
Wij springen op en lopen hard weg. We lachen hard.

‘Wat een plof! Heb je dat gehoord?’ roep ik.
‘Net een zak meel’, roept Joske.
‘Een nijlpaard dat door zijn poten zakt’, giert Bart.
Aan het einde van het pad blijf ik staan. Ik tel. Vijf.
Ik tel opnieuw. Er ontbreekt iemand.
‘Hé, waar is Els?’ roep ik.
De anderen rennen verder.
Ik draai me om. Els staat bij Jan. Ze helpt hem overeind. Ze schudt het zand van zijn kleren.
Dan wandelt ze met hem mee het pad af.
Ik maak dat ik wegkom.

6. Hou daarmee op

Deze morgen loop ik alleen over het pad. Els is er niet. Ik zie haar anders altijd op de hoek.
Maar vandaag is ze er niet. Dat is vreemd.
Ik wacht even. Misschien ligt ze nog in bed.
Misschien heeft haar moeder de wekker niet gehoord.
Na vijf minuten loop ik door. Ik wil niet te laat op school komen.
Met grote stappen loop ik langs het pad. Ik stap flink door. De anderen zijn vast al op school.
Ik loop de hoek om van de straat die recht naar school gaat. Daar waggelt Jan. Ik krijg meteen zin om naar hem toe te lopen en hem een duw te geven.
Maar Jan is niet alleen. Naast hem loopt een meisje.
Els? Is het Els?
Dat kan toch niet. Els hoort op mij te wachten.
Els gaat met mij naar school.
Wat moet ze bij Jan? Zou ze hem alleen willen pesten?
'Els!' roep ik hard.
Els draait zich om en zwaait.

Ook Jan draait zich om, maar hij zwaait niet.
Hij kijkt alleen naar mij met zijn dikke kop.
Ik loop naar hen toe. Ze wachten niet op mij.
Jan heeft zich weer omgedraaid en waggelt verder.
Traag schommelt zijn dikke lijf heen en weer.
En Els? Die heeft zich ook omgedraaid en stapt
naast hem mee.
Ik ben buiten adem als ik bij hen aankom.

'Waarom wacht je niet op mij?' vraag ik boos.
Els glimlacht en haalt haar schouders op.
'Ik dacht: ik loop eens mee met Jan', zegt ze.
'Waarom?' vraag ik.
Ze antwoordt niet.
Wat heeft Els toch? Ik begrijp er niets van.
Gisteren hebben we Jan nog zo fijn samen gepest.
En nu doet ze niet meer mee.
Ik word kwaad op Els. Ik draai rond en zwaai met mijn schooltas. Die laat ik met een plof neerkomen op de rug van Jan.
'Hou daarmee op!'
Els kijkt me woedend aan.
Jan zegt niets. Hij zucht alleen. En hij waggelt verder naar school toe.
Ik blijf staan. Ik ben helemaal in de war. Ik begrijp niets meer van Els. Wat is er mis met haar? Ze was toch mijn vriendin? En we zouden toch samen onze verjaardag vieren?
Els draait zich om en loopt Jan achterna.
Ik wacht tot ze bij de schoolpoort zijn. Ik ga op mijn schooltas zitten en kijk naar hen. Het duurt lang. Maar eindelijk zijn ze er.
Ik sta langzaam op en sluip de school binnen.

7. Een klem in mijn nek

In de les zit ik te dromen. Ik ben er niet bij met mijn hoofd. Ik denk de hele tijd aan Els. Ze zit voor me. Ik kijk naar haar rug.
Wat heeft ze toch? Waarom wil ze niet meer met mij naar school lopen? Waarom doet ze niet meer mee met onze spelletjes?
Ik begrijp Els niet meer. We hebben het altijd fijn gehad samen. We liepen samen. We renden samen. We speelden samen. We maakten samen plezier.
De juf vertelt een verhaal over Egypte. Ik hoor wel wat ze zegt, maar ik luister niet echt. Ik wacht tot de bel gaat. Ik droom.
Eindelijk speelkwartier. We dringen naar buiten. Bart geeft Jan een duw. Hij valt bijna. Jan gaat opzij staan en wacht. Pas als iedereen buiten is, komt hij ook. Hij gaat naar zijn plek bij de muur en kijkt in het rond.
Ik heb niet veel zin in pesten vandaag. Ik weet zelf niet waarom. Els doet zo raar. Ik loop naar de andere kant van de speelplaats. Zo ver mogelijk weg van Jan. Daar spelen een paar jongens met een bal. Net als ik wil vragen of ik mee mag spelen, hoor ik de stem van Dieter.

‘Hier zit je! Ik zocht je overal’, zegt hij. ‘Kom, we gaan Jan pesten.’
Ik durf niet te zeggen dat ik geen zin heb. Ik loop achter hem aan.
Bart, Joske en Inge zijn er ook al.
‘Hè, hè, ben je daar eindelijk?’ zegt Inge.
Ik knik.
‘Hier ben ik toch’, zeg ik.
‘Vooruit dan’, zegt Dieter. ‘En waar is Els?’
Ze kijken allemaal naar mij.
‘Geen idee. Hoe moet ik dat weten?’

‘Is ze dan niet jouw vriendin?’ spot Bart.
‘Nee!’ zeg ik fel.
‘Jullie lopen altijd samen van school naar huis’, lacht Bart.
‘Dat is niet waar. Gisteren niet’, zeg ik.
‘Kom’, zegt Dieter, ‘geen tijd verliezen. Als we nog plezier willen maken voor de bel gaat, moeten we ons haasten.’
We lopen in de richting van Jan. Hij staat op zijn vaste plekje tegen de muur. Alsof hij staat te wachten tot we hem schoppen.
‘Jan, Jan, dikke Jan, die niet bij zijn voeten kan.’
De schelle stem van Inge klinkt boven alles uit.
We zingen mee. We schuiven dichter en dichter naar Jan toe. Zijn kleine ogen kijken bang in het rond. Hij trekt zijn neus op.
Hij kijkt ons één voor één aan. Soms gaat zijn mond open alsof hij iets wil zeggen. Maar Jan zegt niets. Jan zegt nooit wat.
Bart trapt tegen zijn been. Jan trekt zijn been terug.
Joske rukt aan zijn hemd. Jan trekt zich los.
Dieter knijpt in zijn wang en schudt het hoofd van Jan heen en weer. Jan weert af met zijn arm.
Inge trapt op zijn tenen. Ik zie de pijn op het gezicht van Jan.
‘Vooruit! Jouw beurt’, roept Dieter me toe.

Ik heb niet veel zin om mee te doen. Maar ik voel hoe ze naar me kijken. Ik moet wel meedoen.
Ik buig voorover en neem een aanloop. Als een stier vlieg ik vooruit. Net voor ik mijn hoofd in de maag van Jan stoot, geeft iemand mij een duw.
Ik vlieg opzij en val op de grond. Ik tuimel tegen de muur.
'Wil je hiermee ophouden?'

Het is Els die me heeft geduwd. Ik heb niet eens gezien waar ze vandaan kwam.
Beduusd blijf ik zitten. Jan kijkt naar me. Hij lacht niet. Hij kijkt alleen maar heel verbaasd. Hij kijkt van mij naar Els en dan weer naar mij.
Iemand neemt het voor hem op. Hij begrijpt het niet. Dat kun je zo aan hem zien.
Ik begrijp het ook niet. Wat heeft Els toch? Ze heeft me op de grond gegooid. Ik ben gevallen voor de ogen van mijn vrienden. Daar zal ze nog spijt van krijgen, denk ik. Ik zet het haar betaald. Maar ik zeg niets. Nog niet. Mijn knie doet pijn. Mijn hoofd doet pijn. En in mijn binnenste doet het ook pijn. Een rare pijn. Els heeft me verraden.
En dan komt het: Bart begint te lachen. Hij begint zo hard te lachen dat de anderen gauw meelachen. Hij wijst naar mij en hij hikt van het lachen.
'Zie hem daar liggen', lacht hij. 'Hij kan niet eens tegen een duwtje.'
Iedereen kijkt naar mij. Iedereen lacht mij uit. Niemand kijkt nog naar Jan. Ze kijken allemaal naar mij.
Ineens word ik heel kwaad. Ik spring op en ren op Els toe.
Ineens is het alsof er een beest in me zit.
Ik bal mijn vuisten en sla haar. Ik sla zo hard ik kan en om het even waar.

Maar Els laat het niet op zich zitten. Ze schopt en slaat en knijpt en bijt. Ik laat mij ook niet kennen. Ik grijp haar vast. Samen rollen we over de harde grond.
De anderen staan in een kring om ons heen.
Ze kijken naar ons. Ze roepen.
'Hé! Hop! Hé! Hop!'
Els ligt nu op de grond. Ze stampt en ze slaat, maar ik heb haar handen vast.

Els schopt me, maar ik zit boven op haar. Ze kan haar benen niet meer bewegen. Ze heeft een bloedneus. Daar word ik nog wilder van.
Ik kan niet goed meer denken. Ik weet dat dit geen eerlijke strijd meer is, maar ik wil alleen maar slaan. Ik hef mijn arm op. Ik bal mijn vuist. Ik mik op haar gezicht. Maar ik mis.
Net op het ogenblik dat mijn vuist op haar moet neerkomen, word ik opgetild. Mijn vuisten zwaaien door de lucht en ik kan niets meer raken. Ik ben net een harlekijn bij wie iemand te hard aan het touwtje trekt.

Ik zie hoe de kring rondom mij groter wordt. Iedereen doet een stap achteruit. Ik voel een felle pijn in mijn nek. Ik wil omkijken, maar ik kan mijn hoofd niet draaien. Er zit een klem in mijn nek. Ik begrijp niet wat er gebeurt.
Els is opgestaan. Het bloed drupt uit haar neus op haar bloes. In haar broek zit een scheur. Haar haren zijn helemaal in de war. Ze kijkt naar mij. Of toch niet: ze kijkt door mij heen naar iets achter mij. Iets onverwachts. Iets verschrikkelijks.
Ik probeer achterom te kijken, maar dat hoeft al niet meer. De klem in mijn nek draait mij om en ik kijk recht in de ogen van Jan. Jan zegt niets.
Hij kijkt alleen maar. Zijn kleine ogen bewegen niet. Ze steken als messen. Er komt geen einde aan dat kijken. Een minuut. Een uur. Het lijkt wel een hele dag.
Plots laat de klem los. Ik val op de grond. Iedereen is stil. Muisstil. Zelfs Dieter en Bart zijn stil.
Ze kijken naar Jan. Iedereen kijkt naar Jan. Els ook. En ik ook.
Jan ademt diep in. Dan kijkt hij om zich heen. Langzaam draait hij zich om. Hij wandelt weg.
Hij gaat naar zijn plek bij de muur. Hij leunt tegen de muur. Hij kijkt naar ons. Maar hij zegt niets.
Jan zegt nooit wat.

8. Nog altijd vrienden

De juf sluit de deur van de spreekkamer. Ze wijst ons elk een stoel aan.
Els huilt. De juf wast het bloed weg. Ze legt een nat washandje op het voorhoofd van Els.
'Zo stopt het bloeden', zegt ze. 'Doet het pijn?'
'Nee', zegt Els.
'Waarom huil je dan?' vraagt de juf.
Els haalt haar schouders op.
Ik zit op een stoel in de hoek. Ik voel me rot.
Ik til mijn hoofd een beetje op en kijk naar Els.
Ik weet waarom ze huilt.
Als Els naar mij kijkt, sla ik gauw mijn ogen neer.
Ik schaam me. Ik weet zelf niet waarom ik Els geslagen heb. Het ging allemaal zo vlug.
De juf is nu klaar met Els. Ze vraagt nog eens waarom ze huilt. Weer haalt Els haar schouders op.
Heeft ze dan toch pijn? Els schudt met haar hoofd.
Dan komt de juf naar mij toe. Ik voel me heel klein.
'En jij?' zegt ze. 'Wat heb jij te vertellen?'
Ik heb helemaal niets te vertellen. Ik schaam me omdat ik Els geslagen heb.
'Was dat nu echt nodig?' vraagt de juf.

Mijn lip trilt en ik haal mijn schouders op.
'En ik dacht nog wel dat jullie goede vrienden waren', zegt de juf.
Ik mompel iets. De juf kan me niet verstaan.
Zo zacht praat ik.
'Wat zeg je?' vraagt ze.
'Ik zei dat we nog...'
'Dat we nog wat?'
'...dat we nog altijd vrienden zijn', zeg ik zacht.
'Mooie vrienden zijn jullie', zegt de juf. 'Elkaar een bloedneus slaan!'
'Ik heb het niet met opzet gedaan', zeg ik.
Voorzichtig kijk ik naar Els. Ze houdt op met huilen. Als ik zie dat zij ook naar mij kijkt, sla ik mijn ogen weer neer.

'Niet met opzet?' vraagt de juf. 'Zo ziet het er anders niet uit. Blijf jij na schooltijd maar een half uurtje na. Ik zorg wel voor wat extra huiswerk.
En ik zeg het je ouders wel. Blijf hier nu maar zitten tot de bel gaat.'
De juf gaat naar buiten. Ik durf niet meer naar Els te kijken.
Een hele tijd is het stil tussen ons. Ik hoor hoe Els op haar stoel heen en weer schuift. Dan hoor ik haar stem. Een piepstem is het. Alsof iemand haar keel dichtknijpt.
'Je mag Jan niet meer pesten', zegt ze.
'Wablief?' zeg ik, een beetje in de war.
'Je hebt me wel gehoord', zegt Els. 'Je mag Jan niet meer pesten.'
'Waarom niet?' vraag ik.
'Hij kan er niets aan doen dat hij zo dik is. Dat is zo omdat hij ziek is', zegt Els.
'Ziek?' vraag ik.
'Ik heb hem gisteren naar huis gebracht.
Zijn moeder heeft het mij verteld. Er zit iets in zijn lijf. Daardoor wordt hij zo dik. We mogen hem niet meer pesten.'
'Nee', zeg ik.
'Zal je het niet meer doen?'
'Nee', zeg ik weer.
'Beloofd?'

Ik zou alles beloven als Els weer mijn vriendin wil zijn.
'Beloofd.'
Els knikt. Ik zie het door mijn tranen. Ik wrijf in mijn ogen. Ik trek mijn neus op. Maar ik kan mijn tranen niet tegenhouden. Els ziet het. Ze glimlacht.
'Zijn we dan weer vrienden?' vraagt ze.
Ik knik alleen maar. Als ik nog een woord probeer te zeggen, ga ik janken. Ik bijt op mijn onderlip en ik knik.
Voor het raam van de spreekkamer verschijnen vier gezichten. Dieter, Inge, Bart en Joske. Ik draai me met mijn rug naar het raam.
De bel gaat.

9. Een merel zingt

Ik zit alleen in de klas. Ik maak sommen. Af en toe komt de juf de klas binnen. Ze kijkt of ik nog bezig ben. Dan verdwijnt ze weer voor een poosje.
In de klas is het stil. Ik hoor alleen het geluid van mijn pen die krast op het papier.

Geluiden van buiten dringen naar binnen.
Kinderen roepen. Een auto toetert.
Ik kan mijn hoofd niet bij de sommen houden.
Ik droom weg. Ik denk aan Els. Ik denk aan wat er vandaag gebeurd is.
Ik probeer alles op een rijtje te zetten.
Waarom heb ik Els geslagen?
Waarom heeft Els mij geduwd?
Waarom wil Els Jan niet meer pesten?
Waarom pesten wij Jan?
Waarom doe ik altijd wat Dieter zegt?
Waarom ben ik altijd bang?
'Zo, laat je sommen eens zien.'
Ik schrik. De juf staat ineens voor me.
'Ik ben nog niet klaar, mevrouw.'
De juf neemt mijn blad op. Ze kijkt snel naar de sommen en daarna naar mij.
'Laat maar', zegt ze. 'Ga nu direct naar huis en beheers je een beetje in het vervolg.'
'Ja, mevrouw', zeg ik.
Ik sluip de klas uit.
Buiten zingt een merel.

10. Jan komt naar ons feestje

De volgende morgen sta ik al heel vroeg op.
Ik wacht op de hoek. Zou Els komen? vraag ik me af. Ik ben bang dat ze niet komt.
Ik haal een appel uit mijn schooltas. Ik ga op de grond zitten en bijt een hap uit de appel. Nog steeds geen Els te zien. Ben ik dan zo vroeg?
Na een hele tijd komt Els eraan. Maar ze is niet alleen. Jan loopt naast haar. Langzaam zoals altijd.
Els praat tegen hem. Ik kan niet horen wat ze zegt, maar ze praat de hele tijd.
Ik sta op en wacht op hen.
'Dag', zegt Els als ze vlak bij mij zijn.
'Dag', zeg ik.
Jan knikt alleen maar. Hij zegt niets. Ik wil ook wel 'dag' zeggen tegen hem. Maar het gaat niet.
Het is zo raar.
'Loop je met ons mee?' vraagt Els. Ik knik.
We lopen naast elkaar, Els in het midden. Ik ben nog nooit zo langzaam naar school gelopen.
Maar dat geeft niet. Ik ben toch vroeg vandaag.
We komen wel op tijd.
Els praat maar. Ik weet niet of ze tegen mij praat of tegen Jan. Ze praat voor zich uit.

Ze vertelt over haar cavia. Die was gisteren uit zijn hok ontsnapt. Ze had wel een uur naar hem gezocht.
Als we bij de school aankomen, blijft Els staan.
Ze neemt de hand van Jan vast.
'Jan', zegt ze, 'morgen zijn wij jarig. Kom jij naar ons feestje?'
Ik schrik. Ons feestje! Met Jan? Hoe kan dat nu?
Wat zal Dieter zeggen?
Jan draait zich langzaam om. Hij kijkt naar Els.
Hij kijkt naar mij. Dan weer naar Els. En voor de eerste keer zie ik hem lachen. Zijn mond gaat open, maar hij zegt niets. Hij knikt alleen, drie, vier keer na elkaar. En hij blijft lachen.
Ik hap naar adem. Ik ben helemaal in de war.
Jan lacht, denk ik. Jan lacht! Ineens kan Dieter mij niets meer schelen. Jan komt naar ons feestje.
Ik begrijp ineens niet meer waarom ik hem altijd wilde pesten.

11. Verrader!

We wandelen alle drie hand in hand de school in. Jan loopt nu in het midden. Ik aarzel. Bart, Inge en Joske staan bij elkaar op de speelplaats. Ze hebben ons gezien. Ze praten druk met elkaar. Over ons natuurlijk. Ik weet het zeker. Dieter is nergens te zien.
'Kom', zegt Els.
'Iedereen kijkt naar ons', zeg ik.

'Geeft niet', antwoordt Els. 'Doorlopen.'
We lopen dwars over de speelplaats. Ik voel de spanning. Die groeit bij elke stap. Iedereen staat nu stil. Niemand speelt nog. Ze kijken naar ons. Allemaal.
Ineens klinkt zacht een stem van achter de ruggen:
'Jan, Jan, dikke Jan, die niet bij zijn voeten kan!'
Iedereen lacht.
Els draait zich woedend om. Haar ogen schieten vuur.
Dan klinkt het van de andere kant:
'Jan, Jan, dikke Jan...'
Het is een meisje uit een lagere klas. Maar ze komt niet verder. Els kijkt haar zo woest aan dat ze zwijgt.
'Pas op!' roept iemand.
Op hetzelfde moment rent een jongen van achteren op ons af en slaat op het hoofd van Jan.
Het is Dieter. Ik heb het gezien.
Ik grijp hem bij zijn jasje. Dieter is veel sterker dan ik. Maar ik ben niet te houden.
'Blijf van mijn vriend af', schreeuw ik.
Dieter grijpt mijn polsen vast, schudt me door elkaar en zegt: 'Verrader!'
'Ik ben geen verrader', roep ik.
'Dat ben je wel', zegt Dieter en hij geeft me een klap.

Ik word woest. Ik sla hem. Dieter weert af.
Hij grijpt mijn arm en buigt die op mijn rug.
Ik schop naar hem. Hij slaat zijn armen om mijn hals en wurgt me.

Ik hap naar lucht en sla met mijn vuisten op zijn rug. Ik zwaai mijn benen om zijn lijf. Dieter wankelt. We vallen allebei op de grond. Ik probeer boven op Dieter te komen. Maar Dieter is de sterkste. Ik voel zijn knieën in mijn rug. Het doet pijn. Het doet heel veel pijn. Ik roep. Ik tier. Ik kerm.

En dan gebeurt er iets heel ongewoons. Jan heeft de hele tijd gekeken naar ons gevecht. Als hij ziet dat ik verlies, haalt hij heel diep adem. Hij waggelt op ons toe. Hij draait zich om en gaat met een plof boven op Dieter zitten.

Ik voel hoe Dieters greep losser wordt. Ik ben vrij en ik spring op. Dieter ligt op zijn buik.
Hij verdwijnt haast helemaal onder het dikke achterste van Jan. Alleen zijn armen en zijn benen zie je nog. Hij spartelt. Hij roept.
Een seconde lang zijn alle kinderen te verbaasd om iets te zeggen. Dan moet iedereen lachen. Het is ook zo'n gek gezicht. Dieter, sterke Dieter krijgt op zijn huid. Hij is net een pop die op de grond ligt.
Jan zit erbovenop. Jan doet niets. Hij zit alleen maar. En ineens begint hij zelf te lachen. Jan lacht. Jan schokt. En iedereen lacht mee.

12. De stem van Jan

'Hartelijk gefeliciteerd', zegt Els.
'Jij ook een gelukkige verjaardag', zeg ik. Ik laat Els binnen. Ze heeft een pakje voor mij. Ik heb ook een pakje voor haar. Maar dat krijgt ze nu nog niet. Dat is voor straks.
De moeder van Els draagt een grote tas vol flessen limonade. Mijn moeder heeft een grote taart gebakken. Op die taart zit een dikke laag slagroom. En in die slagroom staan tien kaarsjes. Nee, er staan twintig kaarsjes op.
'Tien voor jou en tien voor Els', zegt mama.
De bel gaat. Ik doe open. Inge en Joske staan voor de deur. Ook zij hebben pakjes bij zich.
Even later komt Bart. Hij geeft Els drie zoenen. Die wordt er helemaal rood van. En wij lachen hard.
Weer gaat de bel.
'Dat zal Dieter zijn', zeg ik.
'Of Jan', zegt Els.
Ik zie hoe Bart schrikt.
'Komt Jan?' vraagt hij.
Ik knik. Inge en Joske kijken naar elkaar. Ik loop naar de deur.

Het is Jan. Hij staat breed en groot in het deurgat.
Ik weet niet goed wat ik tegen hem moet zeggen.
Els komt achter me aan en roept hem binnen.
'Ja, natuurlijk', zeg ik. 'Kom binnen.'
Jan waggelt langzaam door de gang en loopt de keuken in. Hij geeft een hand aan mijn moeder en aan de moeder van Els. Dan stapt hij op Bart af.
Die weet niet hoe hij het heeft.
Jan steekt zijn hand uit.

Bart aarzelt even, maar geeft dan toch een hand.
Ook Inge en Joske geven hem een hand. Niemand zegt een woord. Jan niet. Die zegt nooit wat.
Maar ook Joske en Inge niet. Ook Bart niet.
Ik zeg niets. Zelfs Els zwijgt.
Jan kijkt om zich heen. Hij zoekt een stoel. Net als hij wil gaan zitten, gaat de bel weer.
Het is Dieter. Hij groet me en loopt meteen naar binnen.
Plots blijft Dieter staan. Hij ziet Jan en zijn mond valt wijd open. Hij kijkt om zich heen alsof hij hulp zoekt. Dan draait hij zich om en wil weer naar buiten lopen.
Ik zou hem willen tegenhouden. Ik kan niet.
Maar ik moet. Als hij weggaat, is het feestje uit.
Ik wil hem roepen. Maar er komt geen geluid uit mijn keel.
En dan, ineens, gebeurt er iets heel vreemds.
Van uit de diepte klinkt een dunne, hoge stem.
Het lijkt wel het geluid van een dier. Het piept.
Het kreunt. Maar het is een stem. De stem van een mens. De stem van Jan.
'D-i-e-t-e-r! W-a-c-h-t!'
Dieter blijft staan. Langzaam draait hij zich om.
Hij kijkt met grote ogen naar Jan.
Jan loopt naar hem toe. Hij waggelt zo snel hij kan.
Met grote, dreunende stappen loopt hij.

Vlak voor Dieter blijft Jan staan. Hij heft zijn armen op en legt ze om de hals van Dieter.
Ik schrik. Ik weet hoe sterk Jan is. Wat gaat hij met Dieter doen?
Maar hij doet hem geen kwaad. Hij drukt Dieter tegen zijn malse lijf aan. Dan klinkt weer die stem die wij vandaag voor het eerst horen.
'D-i-e-t-e-r! V-r-i-e-n-d! F-e-e-s-t!'
Jan pakt Dieter op met beide handen. Met grote stappen loopt hij naar de tafel. Hij zet Dieter op een stoel. Dan ademt Jan diep in. Van op een meter afstand blaast hij in één keer alle twintig kaarsjes uit. Mijn kaarsjes, denk ik. En de kaarsjes van Els. Maar ik kan er alleen maar om lachen. En Jan lacht ook. Hij neemt een groot stuk taart en stopt het in zijn mond. Dan kijkt hij naar Els en naar mij en zegt:
'G-e-l-u-k-k-i-g-e v-e-r-j-a-a-r-d-a-g!'